Rob

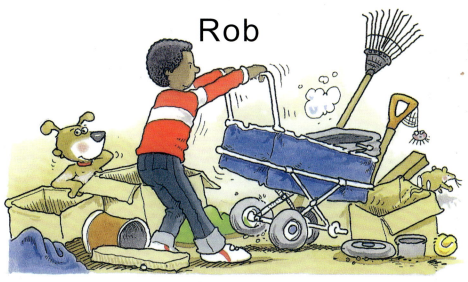

Rob

1

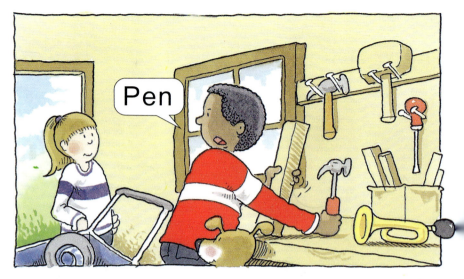

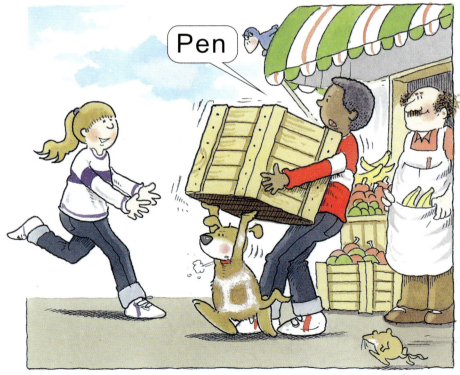

2

Pen and Rob

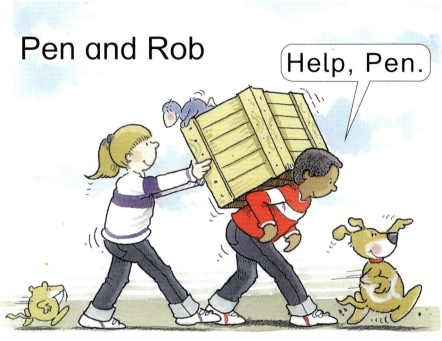

Rob and Pen

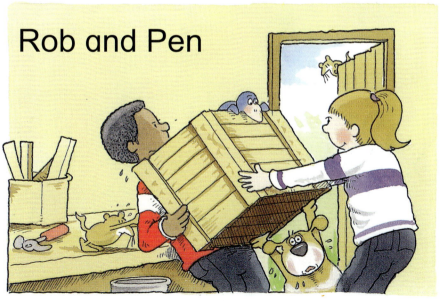

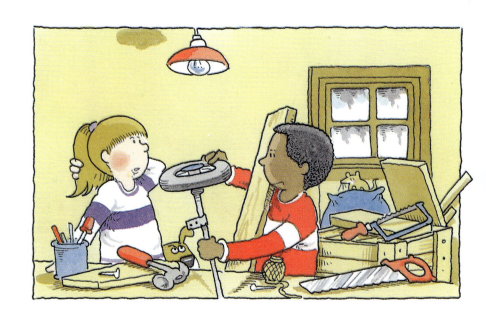

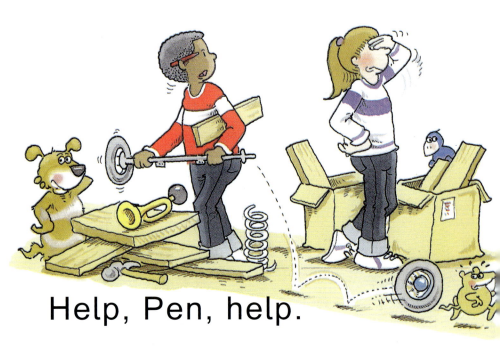

Help, Pen, help.

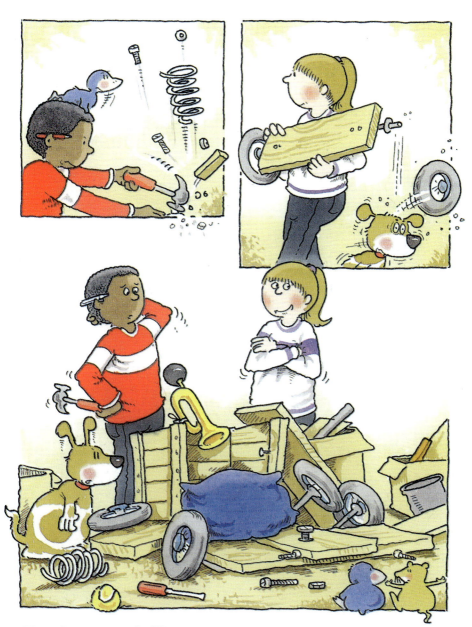

Rob and Pen

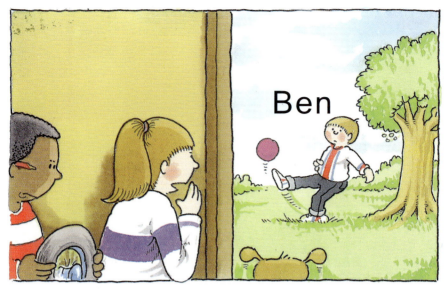

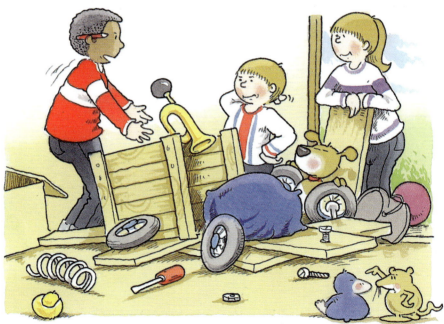

Help, Ben.

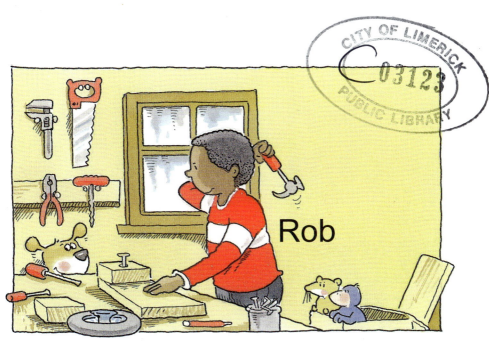

Rob

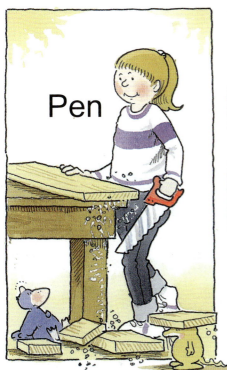

Pen

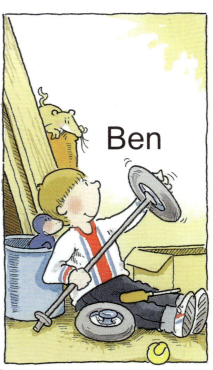

Ben

7

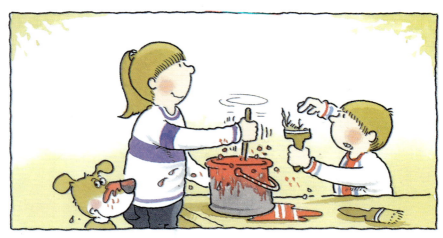

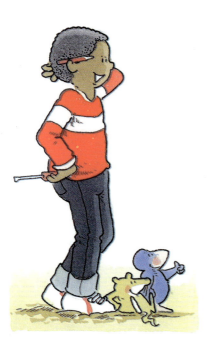

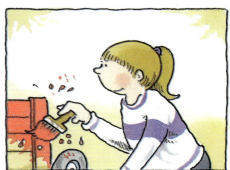

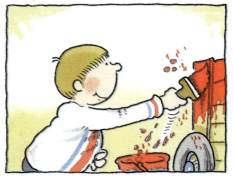

Pen and Ben help Rob.

8

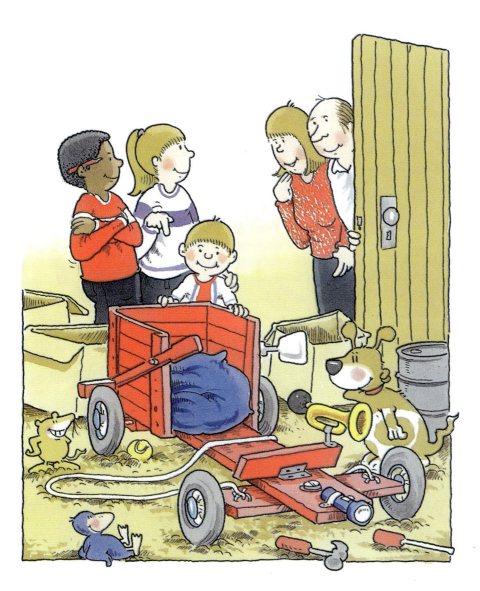

Rob and Pen and Ben.

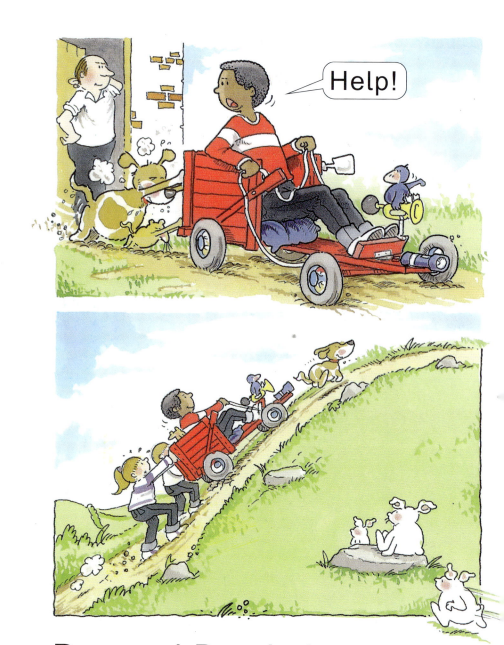

Pen and Ben help.

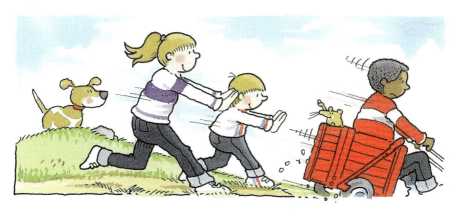

Pen and Ben help Rob.

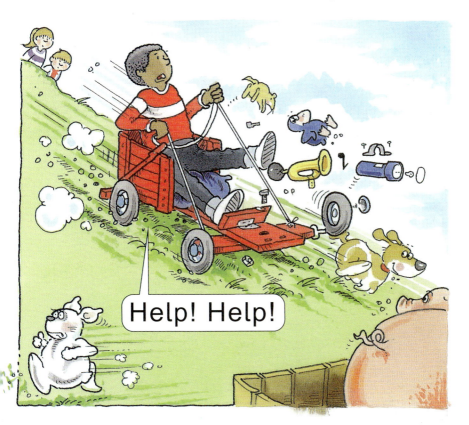

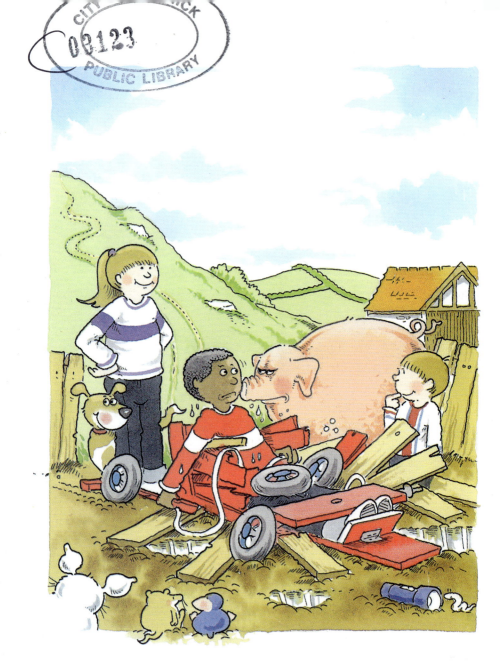

Pen and Rob and Ben!